Inconnu
à cette adresse

ÉTONNANTS • CLASSIQUES

KRESSMANN TAYLOR

Inconnu
à cette adresse

Traduction par MICHÈLE LÉVY-BRAM

Présentation, notes et dossier
par FABIEN CLAVEL et CLAIRE JOUBAIRE,
professeurs de lettres

Flammarion

Sur la Shoah et la Seconde Guerre mondiale, dans la même collection

Au nom de la Liberté, *Poèmes de la Résistance* (anthologie)
Michel del Castillo, *Tanguy, Histoire d'un enfant d'aujourd'hui*
Jean-Claude Grumberg, *L'Atelier*
   Zone libre
Paroles de la Shoah (anthologie)
Annie Saumont, *La guerre est déclarée et autres nouvelles*

Titre original : *Address Unknown*
© 1938 by Kressmann Taylor.
© 1966 by C. Douglas Taylor.
Publié avec l'accord de l'éditeur originel, Simon & Schuster, Inc. Tous droits réservés.
© Éditions Autrement, 1999, pour la traduction.
© Éditions Flammarion, 2012, pour l'appareil critique de la présente édition.
ISBN : 978-2-0812-7268-2
ISSN : 1269-8822

SOMMAIRE

Inconnu à cette adresse

■ Kathrine Kressmann Taylor.

Une biographie mal connue

Un halo de mystères entoure la vie de l'écrivaine américaine Kathrine Kressmann Taylor, au sujet de laquelle il est difficile d'établir une biographie détaillée. Henri Dougier, son premier éditeur français, avouait savoir peu de chose sur la romancière[1]. À la parution d'« Inconnu à cette adresse » aux États-Unis, en 1939, le premier mari de Kathrine Kressmann Taylor et son éditeur américain l'ont présentée comme une femme au foyer — et non comme la femme de lettres qu'elle était pourtant déjà —, que les atrocités nazies avaient révoltée au point de l'inciter à écrire une nouvelle. Cette légende a perduré. Mais la réalité est plus complexe.

Les débuts

Kathrine Kressmann naît dans l'Oregon (État du nord-ouest des États-Unis), à Portland, en 1903. Sa famille est d'origine allemande. Kathrine fait ses études à l'université d'Oregon dont elle sort en 1924 avec un diplôme de littérature et de journalisme. Elle déménage ensuite à San Francisco où elle travaille comme correctrice et rédactrice dans la publicité. Ses premières publications dans des magazines littéraires semblent dater de ces années-là.

---

[1]. Voir l'article d'Olivier Le Naire dans *L'Express* du 10 janvier 2002, « Le mystère Kressmann Taylor ».

C'est sans doute dans le cadre de son travail qu'elle rencontre Elliott Taylor, propriétaire d'une compagnie publicitaire, qu'elle épouse en 1928. Elle prend alors le nom de Kathrine Kressmann Taylor et cesse de travailler. Le couple aura quatre enfants.

Elle continue à écrire et, en 1935, fait notamment paraître une nouvelle, intitulée « *Take a Carriage, Madam*[1] », dans le magazine *Controversy* sous le pseudonyme de Sarah Bricknell Kennedy.

Kressmann Taylor : les origines d'une légende

En 1938, la famille déménage à New York. Bouleversée par l'antisémitisme affiché d'amis allemands qui reviennent de Berlin, Kathrine Kressmann Taylor rédige « Inconnu à cette adresse ». Avec son mari, elle propose le récit à la revue *Story Magazine*. À cette époque domine une conception sexiste de l'écrit, selon laquelle une femme est moins légitime qu'un homme pour traiter de sujets graves en littérature. En s'échappant des genres littéraires traditionnellement dévolus aux femmes, Kathrine Kressmann risque de restreindre la portée de sa dénonciation. Son éditeur et son mari lui font donc adopter un pseudonyme pouvant laisser croire que l'auteur du texte est un homme : Kressmann Taylor.

La nouvelle rencontre immédiatement un grand succès de librairie. Elle est reprise rapidement dans un magazine généraliste très populaire, le *Reader's Digest*, qui en propose une version abrégée, puis reparaît en version intégrale chez l'éditeur Simon and Schuster, en 1939. Il s'en vend cinquante mille exemplaires. La nouvelle est traduite en hollandais et en allemand.

---

1. Cette nouvelle a été traduite en français sous le titre « Madame » dans le recueil *Ainsi rêvent les hommes*, Autrement, 2006 (trad. Laurent Bury).

L'histoire est également adaptée au cinéma en 1944 par le réalisateur William C. Menzies (Kressmann Taylor y est créditée en tant que coscénariste).

L'identité de l'auteur finit par être découverte. Son mari présente l'auteur de la nouvelle comme une mère au foyer choquée par la montée du nazisme. Cette version est celle qui prévaut encore lors de la première parution de la nouvelle en France, en 1999.

La carrière d'écrivain

Dans l'intervalle, Kathrine Kressmann Taylor a profité de son succès pour poursuivre une véritable carrière d'écrivain. Le FBI (Bureau fédéral d'investigation, service fédéral de police judiciaire et de renseignement intérieur américain) la contacte pour lui faire rencontrer un certain Leopold Bernhard (de son vrai nom Karl Hoffmann) dans l'intention de lui faire écrire son histoire. Cet homme est un pasteur allemand qui a fui les persécutions nazies. Par ce moyen, le FBI espère rendre l'opinion américaine favorable à une intervention militaire de son pays dans le conflit mondial. De cette initiative naît le roman *Jour sans retour*. Mais, quand il paraît en 1942, le livre passe inaperçu. Le désastre de Pearl Harbor a déjà eu lieu : en décembre 1941, une escadre japonaise a bombardé la flotte américaine stationnée à Pearl Harbor, dans l'État de Hawaii, précipitant l'entrée en guerre des États-Unis une semaine plus tard aux côtés des Alliés, contre le Japon, l'Allemagne et l'Italie.

Kathrine Kressmann Taylor ne se consacre pas seulement à l'écriture. Dès 1947, elle enseigne le journalisme, l'« écriture créative » et la littérature anglaise à l'université de Gettysburg en Pennsylvanie (État du nord-est des États-Unis). Elle y devient la première femme à obtenir le statut de professeur titulaire.

Après la mort de son mari en 1953, elle continue de publier des nouvelles, notamment dans la revue *Woman's Day*. Si l'un de ses textes est repris dans *The Best American Short Stories* en 1954[1], aucun ne connaît un succès comparable à celui d'« Inconnu à cette adresse ».

En 1966, Kathrine Kressmann Taylor cesse d'enseigner et part vivre à Florence, en Italie. Elle y publie *Diary of Florence in Flood* (« Journal de Florence inondée[2] ») en 1967, après avoir assisté aux crues de l'Arno qui ont ravagé la ville. La même année, elle épouse le sculpteur John Rood, rencontré pendant une croisière vers l'Europe.

Dès lors, le couple partage sa vie entre Val de Pea, un petit village proche de Florence, et Minneapolis, grande agglomération située au nord des États-Unis. Après la mort de son second mari, en 1974, elle continue de passer chaque année six mois en Italie et six mois aux États-Unis. En 1978, elle écrit *Storm on the Rock*[3], roman qui mêle les thèmes qui lui sont chers et des motifs autobiographiques : le récit revient à la fois sur la Seconde Guerre mondiale (il se déroule après le massacre de résistants), sur l'Italie (l'intrigue se situe dans un village de Toscane) et sur son second époux (l'œuvre est dédiée à « J. R. » et l'un des personnages principaux est sculpteur)[4].

Un dernier succès

En 1986, Kathrine Kressmann Taylor se fixe définitivement aux États-Unis, où elle entend passer le restant de ses jours. Elle

---

1. Il s'agit de « *The Pale Green Fishes* », traduit en français sous le titre « Humiliation » dans le recueil *Ainsi mentent les hommes*, Autrement, 2004 (trad. Laurent Bury).
2. Le livre est inédit en français.
3. *Jours d'orage*, Flammarion, 2008 (trad. Samuel Sfez). Ce roman est à ce jour inédit en anglais.
4. Voir dossier, p. 127.

a plus de quatre-vingt-dix ans lorsque, en 1995, pour commémorer le cinquantième anniversaire de la libération des camps de concentration, l'éditeur Story Press fait reparaître « Inconnu à cette adresse ». De nouveau, le texte connaît un succès fulgurant. Kathrine Kressmann Taylor sort de l'anonymat qui l'avait enveloppée. Interrogée lors d'une émission de télévision, elle profite de l'entretien pour revenir sur la légende répandue sur son compte par son éditeur et son premier mari, et rétablir la vérité.

Le récit est traduit en une vingtaine de langues, notamment en allemand, en hébreu et en français. En 1999, année où la nouvelle voit le jour en France, plus de six cent mille exemplaires sont vendus à travers le pays. Le texte est même adapté au théâtre.

L'auteur, elle, est morte en 1997, au moment où l'on redécouvrait son œuvre.

Un récit historique

À travers le récit fictif du parcours d'un Allemand qui semble perdre tout recul critique, et toute compassion devant les violences infligées aux juifs, c'est d'abord un événement historique que Kressmann Taylor entreprend de raconter : l'installation du nazisme au pouvoir. Laissés dans l'ombre du récit, les événements qui marquèrent l'année 1933 sont bien plus qu'une toile de fond du texte : ils en expliquent la nécessité. En effet, cinq ans plus tard, au moment de la parution du livre aux États-Unis, le régime nazi commence à se propager en Europe, au-delà des frontières de la seule Allemagne. Et la Seconde Guerre mondiale apparaît comme un horizon de plus en plus probable.

L'année 1933 et la mise en place du pouvoir nazi

Les lettres qui constituent « Inconnu à cette adresse » s'échelonnent de novembre 1932 à mars 1934. On peut repérer dans cette chronologie une construction en deux temps. Les lettres 1 à 12, échangées en 1932 et 1933, permettent au lecteur de percevoir la métamorphose de Martin qui, progressivement, se hisse au rang de haut dignitaire nazi et, parallèlement, se transforme en admirateur sans réserve de Hitler et en antisémite convaincu. Lui qui, dans sa lettre du 10 décembre 1932, appelait Max, son associé juif, « mon cher vieux compagnon », le salue un an plus tard, le 8 décembre 1933, d'un violent « *Heil Hitler !* ». Après 1933, la nouvelle prend un nouveau tour : les missives ne sont plus l'occasion d'un échange entre les deux hommes sur la situation politique et sociale de l'Allemagne mais, quasiment toutes adressées par Max à Martin, sont dédiées à l'exécution de la vengeance de Max (lettres 13 à 20).

Le choix de cette construction ne doit rien au hasard car 1933 est une année clé de l'histoire du pays. Elle voit Hitler arriver au pouvoir et les premières mesures du programme nazi se mettre en place.

L'arrivée au pouvoir de Hitler (juillet 1932-janvier 1933 : lettres 1 à 3)

À la fin de l'année 1932, comme le note Martin[1], l'Allemagne est durement frappée par une crise économique : elle subit de

---

1. Voir la lettre datée du 10 décembre 1932 : « il est vrai que tu ignores à quel niveau de misère est réduit mon pauvre pays [...] ».

plein fouet les retombées du krach boursier qui a eu lieu aux États-Unis en 1929. La valeur de la monnaie allemande décroît de jour en jour, entraînant la faillite de nombreuses entreprises et la misère de toute une partie de la population. Le traité de Versailles (voir *infra*), qui contraint l'Allemagne à verser de fortes sommes aux pays vainqueurs de la Première Guerre mondiale, aggrave la situation.

Dès le début de l'année 1932, l'Allemagne compte plus de six millions de chômeurs et huit millions de chômeurs partiels (qui ne touchent qu'un demi-salaire).

À ce marasme s'ajoute une crise politique que Martin n'évoque pas dans ses lettres. En juillet se sont tenues des élections législatives, dans un climat extrêmement tendu, entretenu par une campagne électorale agressive et les actions violentes des membres de la SA[1]. Le parti nazi promet aux électeurs « du travail et du pain » et présente son chef, Adolf Hitler, comme le seul homme capable de redonner sa puissance à l'Allemagne[2]. En remportant le plus grand nombre de sièges de députés au Reichstag – l'Assemblée nationale allemande –, il devient le premier parti politique en Allemagne. En novembre 1932 – au moment où, dans la fiction d'« Inconnu à cette adresse », Max envoie sa première lettre à Martin –, de nouvelles élections ont lieu : malgré une progression du parti communiste, le parti nazi conserve la première place.

De la démocratie à la dictature
(janvier-23 mars 1933 : pas de lettres)

Le 30 janvier 1933, le président Hindenburg nomme Hitler chancelier du Reich, c'est-à-dire chef du gouvernement. Une fois

---

1. SA (abréviation pour *Sturmabteilung*, « section d'assaut », en allemand) : milice armée des nazis.
2. Voir cahier photos, p. 1.

arrivé, légalement, à la tête du gouvernement, Hitler s'emploie à accroître son pouvoir. Il obtient la dissolution du Reichstag, car il espère y augmenter encore le nombre de députés nazis ; pour cela, il permet aux membres de la SA d'utiliser tous les moyens d'intimidation possibles pendant la campagne.

En un mois, l'escalade vers la dictature s'accélère : Hitler accuse les communistes, ses ennemis politiques, d'être les commanditaires de l'incendie qui ravage le Reichstag dans la nuit du 27 au 28 février, et prend prétexte de cet événement pour faire immédiatement adopter le « décret pour la protection du peuple ou de l'État ». Ce dernier vise non seulement à punir les soi-disant auteurs de l'incendie – les députés communistes sont exclus du Reichstag, et leur parti est interdit – mais surtout à supprimer les droits individuels jusqu'alors garantis par la Constitution. Le pouvoir de la police est renforcé, la presse et la radio sont soumises à une censure stricte, et le secret touchant aux moyens de communication – courrier postal, télégraphe et téléphone – est aboli. Ces mesures ont pour objectif de repérer plus facilement les opposants politiques au nouveau régime. La répression de toute forme d'opposition est renforcée par l'application de la peine de mort pour les individus reconnus coupables de haute trahison, de sabotage ou d'atteinte à l'ordre public. En mars 1933, les premiers camps de concentration[1] sont ouverts.

Le même mois est élue une nouvelle assemblée, qui abolit les principes de la démocratie libérale : le 23 mars, Hitler obtient les pleins pouvoirs pour quatre ans, c'est-à-dire qu'il cumule le

---

1. Camps de concentration : camps où les détenus sont soumis à du travail forcé. Les conditions de vie y sont très difficiles, car les prisonniers sont affamés et battus. Au début, ces camps sont destinés aux communistes, dont Hitler a supprimé le parti lors de son arrivée au pouvoir.

pouvoir exécutif du chancelier et le pouvoir législatif du Reichstag – il est désormais le seul à pouvoir rédiger les lois. Celles-ci ne sont plus tenues d'obéir aux principes de la Constitution, mais dépendent de la seule volonté du chef du gouvernement. Les fondements d'une dictature personnelle sont posés.

La mise au pas de la société allemande (à partir de mars 1933 : lettres 4 à 12)

Bénéficiant désormais d'un pouvoir personnel très important, Hitler lance ce qu'il appelle la « mise au pas » (*Gleischaltung*, en allemand) de la société allemande en réprimant toute opposition et en propageant le plus largement possible les idées nazies. Un ministère de la Propagande est créé dès le mois de mars, chargé d'assurer la publicité du nouveau gouvernement. Les partis politiques et les syndicats sont interdits, au bénéfice du seul parti nazi et du « Front du travail », une association contrôlée par les nazis et chargée d'encadrer les ouvriers et leurs employeurs. Les fonctionnaires sont sévèrement contrôlés, et l'on renvoie ceux qui sont soupçonnés de ne pas être de fervents soutiens du nouveau régime. Parce qu'ils sont directement au contact de la jeunesse à qui l'on cherche à inculquer l'idéologie nazie, les professeurs sont particulièrement visés par ces mesures. Afin qu'il n'y ait pas de voix discordantes, les artistes sont également placés sous le joug de la nouvelle Chambre de la culture du Reich[1], créée en septembre 1933, qui dépend du ministre de la Propagande, Joseph Goebbels. Les artistes sont obligés d'y adhérer pour avoir le droit d'exercer leur métier.

Le programme du parti nazi est mis à exécution, en premier lieu les mesures qui visent à écarter les juifs de la vie politique

---

1. Voir dossier, p. 118.

et sociale. Le 1ᵉʳ avril 1933, le parti nazi décide le boycott[1] des magasins juifs. La semaine suivante, les juifs sont exclus de la fonction publique. Le 10 mai 1933, Goebbels organise en plein cœur de Berlin un spectaculaire autodafé[2] où sont brûlés les livres d'auteurs juifs accusés de porter atteinte à la culture et à l'identité allemandes. D'autres auront lieu les mois suivants. Les actions antisémites violentes se multiplient, encouragées par la SA.

L'Allemagne de la fin des années 1930

En quelques mois, le parti nazi a fait de l'Allemagne un régime totalitaire, dirigé par un dictateur. Les années qui suivent voient ces mesures se renforcer et le nazisme s'étendre au-delà des frontières de l'Allemagne.

Le culte de Hitler[3]

Une des préoccupations majeures du gouvernement nazi est de promouvoir le culte du chef, Hitler. Les affiches, les journaux, les émissions de radio, les livres, les films, les grandes cérémonies mettant en scène le pouvoir, mais aussi l'école, les organisations destinées à encadrer les enfants dès leur plus jeune âge, les jouets... tout est fait pour embrigader les citoyens et les amener à considérer Hitler comme l'homme providentiel, le seul apte à sortir le pays de la crise – présentée comme la conséquence de la décadence morale de la société –, à assurer sa

---

1. *Boycott* : interdiction d'avoir commerce avec quelqu'un (voir cahier photos, p. 2).
2. *Autodafé* : cérémonie publique au cours de laquelle on brûle les œuvres et les livres d'art jugés indésirables et dangereux (voir cahier photos, p. 2).
3. Voir cahier photos, p. 1.

survie et à le guider vers un avenir meilleur. En 1934, Hitler se donne d'ailleurs le titre de *Reichsführer* – le « guide de l'empire ». La « mise au pas » de l'Allemagne se poursuit en effet pendant le reste de la décennie : il s'agit d'uniformiser le pays, et de faire adopter par l'ensemble de la population la devise « *Ein Volk, ein Reich, ein Führer* » – « Un peuple, un empire, un guide ».

La propagation du racisme et de l'antisémitisme[1]

La propagande alimente également la haine des juifs. Selon les nazis, les hommes sont divisés en races : la race « aryenne » étant la race supérieure, et la race juive une race inférieure. C'est cette idéologie raciste et antisémite qui conduit les nazis à persécuter les juifs, pour les faire disparaître : si dès 1933 les juifs sont persécutés, victimes de boycott et d'actes de violence, et privés de droits, comme celui d'exercer certaines professions, dès 1935, les lois de Nuremberg leur ôtent la nationalité allemande, annulent les mariages contractés entre juifs et « aryens », et interdisent toute relation entre eux. Presque tous les emplois sont interdits aux juifs, et leurs biens sont progressivement confisqués. En 1938, lors d'une nuit d'extrême violence, des militants nazis brûlent des synagogues, détruisent et pillent des magasins, et massacrent des juifs : on donne à cet événement le nom de « nuit de Cristal ». De nombreux intellectuels fuient l'Allemagne après ce déchaînement de violences. L'autre aspect de cette idéologie raciste consiste à vouloir « aryaniser » l'Allemagne, en particulier en la peuplant de nombreux Allemands « de sang pur », c'est-à-dire sans ascendance juive[2]. C'est

1. Voir cahier photos, p. 2.
2. Selon la loi du 7 avril 1933, était considérée comme juive toute personne comptant au moins un juif parmi ses parents et grands-parents. Ces derniers étaient présumés juifs dès lors qu'ils appartenaient au judaïsme.

pourquoi les nazis encouragent les femmes à se consacrer à leur foyer et à mettre au monde de nombreux enfants[1].

L'usage de la violence

L'État nazi est un régime violent qui ne tolère aucune forme d'opposition. Les services d'ordre du parti nazi, la SA et la SS[2], ainsi que la Gestapo, la police au service du Führer, font régner la terreur sur ceux qui sont considérés comme les « ennemis du régime ». Les opposants politiques, et plus largement tous ceux qui sont jugés indignes de vivre dans l'Empire (les juifs, mais aussi les Tsiganes, les handicapés et les homosexuels), peuvent à tout moment être arrêtés par la Gestapo, torturés, tués ou envoyés en camps de concentration dirigés par la SS, où ils connaissent des conditions de détention très dures, qui les conduisent souvent à la mort. Entre 1933 et 1939, plusieurs centaines de milliers de personnes y seront emprisonnées. Cette répression repose sur un strict contrôle de la population : c'est pourquoi la censure et la surveillance des moyens de communication jouent un rôle important dans ce régime totalitaire.

La marche vers la guerre

Enfin, l'idéologie nazie développe l'idée selon laquelle le peuple allemand aurait besoin d'un « espace vital », qu'il devrait conquérir en s'étendant à l'Est. La propagande hitlérienne justifie ce besoin en s'appuyant sur le sentiment d'humiliation très

---

1. Voir le tableau de Wolf Willrich, *La Famille* (cahier photos, p. 3).
2. *SA* : voir note 1, p. 15 ; *SS* : abréviation de *Schutzstaffel*, « escadron de protection », en allemand : service d'ordre qui sert dans un premier temps de garde rapprochée de Hitler, puis qui est chargé de la répression des opposants au régime et de la direction des camps de concentration.

vif que les Allemands ont ressenti à l'issue de la Première Guerre mondiale, lors de la signature du traité de Versailles, le 28 juin 1919. Ce dernier a soumis l'Allemagne vaincue à un certain nombre de sanctions, lui concédant un rôle politique et économique mineur dans la construction de la nouvelle Europe. Traumatisés par ce traité qu'ils jugent trop sévère, les Allemands sont extrêmement sensibles à la politique de Hitler, qui voit dans la lutte armée un moyen de rendre justice au peuple allemand. L'Allemagne nazie se prépare donc à entrer en guerre. En 1935, Hitler annonce officiellement le réarmement du pays, et lance un plan de production massive d'armes de guerre modernes. Trois ans plus tard, le 13 mars 1938, l'Allemagne envahit l'Autriche, puis, le 30 septembre, une partie de la Tchécoslovaquie...

Une nouvelle épistolaire

Kathrine Kressmann Taylor a choisi une voie tout à fait particulière pour raconter son histoire : une nouvelle à la forme épistolaire. Il convient de se pencher sur ces deux aspects avant de s'intéresser au sens profond du texte.

La nouvelle

Historique du genre

La nouvelle est un genre dont la vie épouse en partie l'histoire du texte imprimé. Elle a en effet connu son essor au

XVIᵉ siècle, parallèlement à l'imprimerie. Cependant, elle hérite de genres déjà établis au Moyen Âge, comme les fabliaux (petits contes populaires) et ses premières occurrences datent du XIVᵉ siècle. Ainsi, le *Décaméron* de Boccace (écrit entre 1349 et 1353), que l'on perçoit aujourd'hui comme un recueil de nouvelles, emprunte aux fabliaux leur côté grivois. Le genre puise aussi dans des techniques littéraires tirées de l'Antiquité : dans cette même œuvre, Boccace fait appel à l'*exemplum*, un procédé qui permettait aux orateurs romains de convaincre leur public en utilisant une anecdote ou un exemple issus de l'histoire. Cette filiation à la culture latine est importante car elle annonce ce qui sera le critère essentiel de la nouvelle à la Renaissance : la vraisemblance (la nouvelle doit donner l'illusion de la réalité). À partir du XVIᵉ siècle, le genre acquiert une vocation pédagogique : dans *L'Heptaméron*, de Marguerite de Navarre (1492-1549), les personnages font appel à la morale pour commenter les histoires dont ils sont les auditeurs.

Aux XVIIᵉ et XVIIIᵉ siècles, la nouvelle profite de la critique puis du déclin provisoire de son concurrent principal : le roman. S'écartant du roman baroque et de ses interminables intrigues amoureuses enchâssées les unes dans les autres, elle mise sur le réalisme, la concision et la simplicité. Les Lumières confirment également l'idée selon laquelle un récit bref doit avoir une visée didactique (comme en témoigne la création d'un genre voisin de la nouvelle : le conte philosophique).

Les XVIᵉ, XVIIᵉ et XVIIIᵉ siècles posent donc les premiers jalons de la définition de la nouvelle. Mais ce n'est qu'au XIXᵉ siècle qu'elle acquiert véritablement le statut de genre et s'installe dans les goûts du public. Son succès est alors lié au développement de la presse populaire, qui cherche à satisfaire un lectorat toujours plus nombreux en proposant des récits aux intrigues resserrées. Les écrivains se plient volontiers à cet exercice, qui leur assure des revenus réguliers ainsi qu'une certaine notoriété : c'est par la presse que des auteurs comme Maupassant et Zola se font connaître.

Le contenu des nouvelles se trouve modifié par ce support : les journaux s'adressent à un public très large, touchant toutes les classes de la société, y compris le peuple, de loin la plus nombreuse. Il faut que ce dernier puisse se reconnaître dans ces histoires, et par conséquent il faut le mettre en scène, quitte à peindre des héros modestes. Par ailleurs une porosité se crée entre le contenu des articles et celui des nouvelles. Les faits divers et les chroniques judiciaires rapportés dans les colonnes des quotidiens inspirent les auteurs. La nouvelle entretient donc une proximité étroite avec les réalités de la vie.

Des règles plus précises commencent à circonscrire le genre : le narrateur prend une importance accrue, le récit est rigoureusement construit en vue du dénouement. Les écrivains cherchent souvent à créer un effet de surprise à la fin de la nouvelle : c'est ce qu'on appelle « la chute ».

En outre, deux voies principales se dessinent : soit les auteurs accentuent le caractère réaliste de la nouvelle, de façon à décrire leur époque avec toute l'acuité possible ; soit ils jouent sur le fantastique, en laissant le lecteur hésiter entre une explication rationnelle et une explication surnaturelle.

Au XXe siècle, quoique enfin reconnue, la nouvelle cède le pas au roman. Même si l'on peut citer quelques nouvellistes très célèbres, comme Buzzati ou Borges, le genre apparaît comme mineur ; il est parfois considéré comme une ébauche de projets plus importants. Cette tendance existait déjà au XIXe siècle – Maupassant, un maître du genre, voyait en ces textes des essais pour ses romans – mais le XXe siècle la prolonge : on peut citer Sartre, qui qualifiait lui-même ses récits courts de « bluettes ».

Aujourd'hui, le public semble peu attiré par ce type de publications, qui ne demeure réellement vivace que dans le secteur de la littérature étrangère (les nouvelles étant alors appréciées parce qu'elles constituent une entrée aisée pour découvrir de nouveaux auteurs).

Définition de la nouvelle

La nouvelle est avant tout un genre bref : elle doit pouvoir être lue d'une traite, ce qui la différencie du roman. Cette spécificité ne suffit pourtant pas à la circonscrire pleinement puisqu'il existe d'autres genres brefs.

La définition de la nouvelle est d'ailleurs assez floue : au XIXe siècle, par exemple, les mots « contes », « anecdotes » et « nouvelles » sont employés indifféremment comme des synonymes. Ainsi, les éditions des textes narratifs brefs de Zola ou de Maupassant sont souvent intitulées *Contes et nouvelles*[1]. Par ailleurs, le critère de longueur est difficilement quantifiable. Cependant, ces trois genres, même voisins, se distinguent les uns des autres par des caractéristiques précises.

En effet, le conte, au moins initialement, se transmet à l'oral ; en outre, il relate une histoire fictive. À l'inverse, par son origine que traduit son nom lui-même, la nouvelle s'inscrit davantage dans le réel et l'actualité. Quant à l'anecdote, elle s'attache à l'histoire qu'elle rapporte plus qu'à la manière de la raconter. Aussi réduit-elle le plus possible le développement et la présence du narrateur quand la nouvelle, elle, se préoccupe de stylisation et d'esthétisation.

---

1. Voir les éditions de Roger Ripoll (1976) pour Zola et de Louis Forestier (1974 et 1979) pour Maupassant, chez Gallimard, coll. « Bibliothèque de la Pléiade ».

Enfin, par sa brièveté, la nouvelle s'oppose au roman. Son format implique un nombre plus réduit de personnages, d'événements et de lieux. Et son rythme est plus rapide.

Roman et nouvelle épistolaires[1]

Le roman épistolaire est composé de lettres. On doit cependant le distinguer des romans partiellement épistolaires, où des lettres apparaissent mais ne constituent pas l'ensemble de l'œuvre (*L'Astrée*, 1607-1627, d'Honoré d'Urfé), de la lettre-journal, où l'œuvre est formée d'une unique longue lettre (*Le Lys dans la vallée*, 1836, de Balzac), et des correspondances réelles (lettres d'Abélard et Héloïse, XIIe siècle).

Le roman épistolaire peut prendre des formes variées. Il peut être composé d'une seule voix (un même personnage écrit toutes les lettres). Deux cas se présentent alors : ou bien les réponses du destinataire sont évoquées (*Lettres de la Duchesse de... au Duc de...*, 1768, de Crébillon fils), ou bien elles n'existent pas ou ne sont pas prises en compte (*Lettres portugaises*, 1669, de Guilleragues). Une autre formule consiste en un duo, un échange entre deux correspondants (*Mémoires de deux jeunes mariées*, 1841, de Balzac). Enfin, une troisième voie réside dans l'échange de correspondants multiples (*Lettres persanes*, 1721, de Montesquieu).

Le genre de la nouvelle épistolaire proprement dit est assez peu pratiqué, notamment parce que, l'intrigue s'y dessinant peu à peu à travers les différentes lettres, il est difficile de la condenser en un court récit. Les premières formes épistolaires fictives remontent à l'Antiquité, notamment avec *Les Héroïdes* d'Ovide

---

1. Les remarques qui suivent doivent beaucoup à l'article de Jean Rousset, « Une forme littéraire : le roman par lettres », dans *Forme et signification*, José Corti, 1963.

(43 av. J.-C.-17 apr. J.-C.), où des héroïnes de la mythologie écrivent à leur amant ou à leur mari absent. Après un léger déclin au Moyen Âge, le genre connaît un nouvel engouement en France avec le succès des *Lettres portugaises* de Guilleragues, dans lesquelles, au sein de cinq missives, une religieuse se plaint à un officier français de l'abandon qu'il lui a fait subir. Le XVIIIe siècle est particulièrement friand de ce genre (à cette époque paraissent les *Lettres persanes* de Montesquieu, *Julie ou la Nouvelle Héloïse*, 1761, de Rousseau, et *Les Liaisons dangereuses*, 1782, de Choderlos de Laclos). Au XIXe siècle, Balzac le pratique encore dans ses *Mémoires de deux jeunes mariées*, mais reconnaît lui-même dans sa préface que la forme littéraire qu'il a choisie est une « chose assez inusitée depuis bientôt quarante ans ». Le XXe siècle confirme cette évolution : le genre n'y est guère pratiqué.

Une nouvelle parfaite ?

En choisissant de combiner la nouvelle et le récit épistolaire, Kathrine Kressmann Taylor insiste avant tout sur l'actualité et l'urgence de son propos. Comme son nom l'indique, la nouvelle se réfère à des événements récents. Quant à la lettre, elle implique le récit d'événements réels. La narration à la première personne et la multiplication des points de vue donnent une impression de témoignage sur le vif, d'autant que les lettres sont datées.

Le choix d'un duo de correspondants joue sur les similitudes et les points communs entre les personnages, qui sont tous deux marchands de tableaux et amis, presque frères (la proximité de leurs prénoms respectifs, Max et Martin, souligne cette quasi-gémellité). Entre eux, le fossé se creuse graduellement autour de la question du nazisme. Leur éloignement est signalé dès le début de l'histoire : il est d'abord géographique, puisque Martin rentre en Allemagne. La distance entre l'Américain et l'Allemand ne cesse d'être confirmée par les adresses des expéditeurs et des destinataires, qui varient en fonction des sentiments des personnages. Griselle, qui formait un trait d'union entre les deux protagonistes, scelle leur rupture par sa disparition.

En outre, la nouvelle permet un développement rapide et simple de l'intrigue, balayant en une vingtaine de lettres près d'un an et demi d'histoire. Enfin, l'auteur parvient à utiliser au mieux les possibilités de la nouvelle en composant une chute qui se fonde directement sur la forme choisie : c'est par la lettre que se noue l'histoire et par elle qu'elle se clôt avec la vengeance de Max, les derniers mots de l'œuvre renvoyant cycliquement au titre.

À l'instar du directeur de *Story Magazine*, Whit Burnett, ne peut-on pas, dès lors, qualifier « Inconnu à cette adresse » de « nouvelle parfaite[1] » ?

---

1. Whit Burnett utilise cette expression dans sa postface à « Inconnu à cette adresse » (Autrement, 1999).

On trouvera une chronologie plus détaillée des événements qui surviennent en même temps que la correspondance dans le dossier, p. 99.

CHRONOLOGIE

1903 1997
1903 1997

- Repères historiques et culturels
- Vie et œuvre de l'auteur

Repères historiques et culturels

1914-1918	Première Guerre mondiale.
1919	28 juin : le traité de Versailles consacre la victoire des Alliés et la capitulation de l'Allemagne. 31 juillet : adoption en Allemagne de la Constitution de la république de Weimar (régime démocratique parlementaire).
1925	Première élection du président Hindenburg à la tête de la république de Weimar.
1929	Crise boursière qui marque le début de la Grande Dépression.
1932	Réélection du président Hindenburg à la tête de la république de Weimar.
1933	30 janvier : Hitler est nommé chancelier par Hindenburg. 27-28 février : incendie du Reichstag. 22 mars : ouverture des premiers camps de concentration à Oranienburg et Dachau. 23 mars : fin de la république de Weimar ; Hitler obtient les pleins pouvoirs. Début du Troisième Reich. 1er avril : le parti nazi décide le boycott des magasins juifs. 10 mai : premier autodafé, à Berlin, de livres « juifs, socialistes, pacifistes ou libéraux ».

Vie et œuvre de l'auteur

1903   Naissance de Kathrine Kressmann à Portland (Oregon).

1924   Diplôme de littérature et de journalisme. Déménagement à San Francisco.

1928   Mariage avec Elliott Taylor. Kathrine cesse son travail de rédactrice et correctrice dans la publicité.

Repères historiques et culturels

1934   29-30 juin : nuit des Longs Couteaux.
2 août : mort de Hindenburg.

1935   Les lois de Nuremberg légalisent la persécution des juifs, à travers la loi sur la citoyenneté du Reich et la loi de protection du sang et de l'honneur allemand.

1936   Mai : déclaration de l'Église protestante luthérienne contre le nazisme.
Novembre : fermeture de l'exposition sur l'« art dégénéré » à Munich.

1938   Mai : déportation massive de juifs et de communistes à Dachau.
Juillet : nouvelle exposition sur l'« art dégénéré » à Munich.
9 et 10 novembre : nuit de Cristal (saccage des lieux de culte et de travail des juifs, qui culmine dans l'assassinat ou la déportation de plusieurs milliers d'entre eux).

1939   Mars : autodafé de tableaux relevant de l'« art dégénéré » à Berlin.
1er septembre : invasion de la Pologne par l'Allemagne. La Grande-Bretagne et la France déclarent la guerre à l'Allemagne.

1940   22 juin : après l'effondrement de son armée, la France, dirigée par le nouveau gouvernement du maréchal Pétain, demande l'armistice à l'Allemagne. La France est coupée en deux grandes zones : la zone occupée par les Allemands (au Nord) et la zone libre (au Sud).

1941   Décembre : bombardement de la base américaine de Pearl Harbor par l'armée japonaise. Cet événement précipite l'entrée des États-Unis dans la guerre.

Vie et œuvre de l'auteur

1935 Publication de la nouvelle « *Take a Carriage, Madam* »
dans le magazine *Controversy.*

1938 La famille déménage à New York.
Publication de « *Address Unknown* » (« Inconnu
à cette adresse ») dans *Story Magazine* sous
le pseudonyme de Kressmann Taylor.

1939 « Inconnu à cette adresse » est publié par l'éditeur
Simon and Schuster.

Repères historiques et culturels

En Allemagne, le décret « Nuit et Brouillard » est signé. Il ordonne la déportation de tous les ennemis et opposants du Reich.

1942 Janvier : planification de la « Solution finale » qui entre en application en juillet.

1944 Débarquement allié en Normandie. À la fin du mois d'août, Paris est libéré.

1945 Janvier : libération des camps d'extermination d'Auschwitz-Birkenau.
Mai : capitulation sans conditions de l'Allemagne. Les Alliés entreprennent des mesures de dénazification du pays.

1946 Fin des procès de Nuremberg intentés contre les principaux responsables du Troisième Reich.

1947 Début de la guerre froide, conflit idéologique opposant les deux superpuissances de l'époque : les États-Unis et l'Union des républiques socialistes soviétiques (URSS).

1948 Déclaration d'indépendance de l'État d'Israël. Début de la guerre israélo-arabe qui se termine l'année suivante.

1949 L'Allemagne est divisée en deux territoires : la République fédérale d'Allemagne, ou RFA, à l'Ouest (sous occupation américaine, britannique et française), et la République démocratique allemande, ou RDA, à l'Est (sous contrôle soviétique).

Vie et œuvre de l'auteur

1942 Publication de *Jour sans retour*.

1944 « Inconnu à cette adresse » est adapté au cinéma par Columbia Pictures.

1947 Kathrine Kressmann Taylor enseigne à l'université de Gettysburg.

Repères historiques et culturels

1956 Guerre de Suez qui oppose l'Égypte à une alliance formée par Israël, la France et le Royaume-Uni.

1957 Le traité de Rome conduit à la création de la Communauté économique européenne (CEE).

1961 Construction du mur de Berlin par le gouvernement de la RDA : il sépare physiquement les côtés Ouest et Est de la ville, et une surveillance policière permanente en empêche le franchissement.

1967 Guerre des Six Jours entre Israël, l'Égypte, la Jordanie, la Syrie et l'Irak.

1973 Guerre du Kippour qui oppose Israël à l'Égypte et la Syrie.
Premier choc pétrolier.

1982 Invasion du Sud-Liban par Israël pour faire cesser les attaques de l'OLP.

1989 Chute du mur de Berlin et réunification de l'Allemagne.

Vie et œuvre de l'auteur

1953 Décès d'Elliott Taylor.

1966 Kathrine Kressmann Taylor prend sa retraite
et s'installe à Florence (Italie).
Écriture du « Journal de Florence inondée ».

1967 Second mariage avec John Rood, sculpteur américain.

1974 Décès de John Rood.

1978 Écriture de *Jours d'orage*.

1986 Kathrine Kressmann Taylor retourne vivre aux États-
Unis, après avoir partagé son temps entre l'Italie
et Minneapolis.

Repères historiques et culturels

1991   Effondrement de l'URSS.
Fin de la guerre froide.

1992   Signature du traité de Maastricht : naissance
de l'Union européenne.

1995   Cinquantenaire de la libération des camps
de concentration.

2001   Attentats du 11 septembre à New York.

2006   Attaque du Liban par Israël à la suite
d'un accrochage à la frontière entre le Hezbollah
et l'armée israélienne.

Vie et œuvre de l'auteur

1995 Réédition de « Inconnu à cette adresse » par Story Press.

1997 Décès de l'auteur.

1999 La nouvelle est éditée en France.

2001 La nouvelle est éditée en Allemagne.

2002 La nouvelle est rééditée en Angleterre.
Publication française de *Jour sans retour* aux éditions Autrement.

2004 Publication française de *Ainsi mentent les hommes* aux éditions Autrement.

2006 Publication française de *Ainsi rêvent les femmes* aux éditions Autrement.

2008 Publication française de *Jours d'orage* aux éditions Flammarion.

Inconnu
à cette adresse

1

GALERIE SCHULSE-EISENSTEIN,
SAN FRANCISCO, CALIFORNIE, USA

Le 12 novembre 1932

Herrn[1] Martin Schulse
Schloss[2] Rantzenburg
Munich, ALLEMAGNE

Mon cher Martin,

Te voilà de retour en Allemagne. Comme je t'envie... Je n'ai pas revu ce pays depuis mes années d'étudiant, mais le charme d'*Unter den Linden*[3] agit encore sur moi, tout comme
5 la largeur de vues, la liberté intellectuelle, les discussions, la musique, la camaraderie enjouée que j'ai connues là-bas. Et voilà que maintenant on en a même fini avec l'esprit hobereau, l'arrogance prussienne et le militarisme[4]. C'est une Allemagne démocratique que tu retrouves, une terre de culture où

---

1. Herrn ou **Herr** : « Monsieur », en allemand ; lorsque c'est Martin qui s'adresse à Max, resté aux États-Unis, on trouve l'anglais *Mr.*, masculin de *Mrs.*
2. Schloss : château, en allemand.
3. Unter den Linden : « Sous les tilleuls », nom d'une célèbre avenue de Berlin.
4. Max fait ici allusion à l'Empire allemand, démantelé à l'issue de la Première Guerre mondiale. Il évoque le mépris que témoignait alors la noblesse prussienne à l'égard du peuple (l'« esprit hobereau et l'arrogance prussienne ») et l'état d'esprit guerrier (le « militarisme ») qui y régnait.

¹⁰ une magnifique liberté politique est en train de s'instaurer. Il y fera bon vivre.

Ta nouvelle adresse a fait grosse impression sur moi, et je me réjouis que la traversée ait été si agréable pour Elsa et les rejetons[1].

¹⁵ Personnellement, je ne suis pas aussi heureux que toi. Le dimanche matin, je me sens désormais bien seul – un pauvre célibataire sans but dans la vie. Mon dimanche américain, c'est maintenant au-delà des vastes mers que je le passe en pensée. Je revois la grande vieille maison sur la colline, la chaleur de ²⁰ ton accueil – une journée que nous ne passons pas ensemble est toujours incomplète, m'assurais-tu. Et notre chère Elsa, si gaie, qui accourait vers moi, radieuse, en s'écriant : « Max, Max ! », puis me prenait la main pour m'entraîner à l'intérieur et déboucher une bouteille de mon schnaps[2] favori. Et vos mer- ²⁵ veilleux garçons – surtout ton Heinrich, si beau… Quand je le reverrai, il sera déjà un homme.

Et le dîner… Puis-je espérer manger un jour comme j'ai mangé là-bas ? Maintenant, je vais au restaurant et, devant mon rosbif solitaire, j'ai des visions de *Gebackener Schinken*, ³⁰ cet exquis jambon en brioche fumant dans sa sauce au vin de Bourgogne ; et de *Spätzle*, ah ! ces fines pâtes fraîches ; et de *Spargeel*, ces asperges incomparables. Non, décidément, je ne me réconcilierai jamais avec mon régime américain. Et les vins, si précautionneusement déchargés des bateaux alle- ³⁵ mands, et les toasts que nous avons portés en levant nos verres pleins à ras bord pour la quatrième, la cinquième, la sixième fois…

---

1. *Rejetons* : enfants.
2. *Schnaps* : alcool fort.

Naturellement, tu as bien fait de partir. Malgré ton succès ici, tu n'es jamais devenu américain ; et maintenant que notre
40 affaire est si prospère, tu te devais de ramener tes robustes fils dans leur patrie pour qu'ils y soient éduqués. Quant à Elsa, sa famille a dû lui manquer toutes ces longues années ; ses proches seront également contents de te voir, j'en suis sûr. Le jeune artiste impécunieux[1] de naguère devenu le bienfaiteur
45 de la famille, voilà un petit triomphe que tu savoureras modestement, je le sais.

Les affaires sont toujours bonnes. Mrs. Levine a acheté le petit Picasso[2] au prix que nous demandions, ce dont je me félicite ; je laisse lentement venir la vieille Mrs. Fleshman à
50 l'idée d'acquérir la hideuse madone[3]. Personne ne se soucie de lui dire que telle ou telle pièce de sa collection est mauvaise parce que toutes le sont. Il n'empêche que je n'ai pas ton merveilleux savoir-faire pour vendre à des matrones[4] juives. Je suis capable de les persuader de l'excellence d'un investisse-
55 ment mais toi seul avais, concernant une œuvre d'art, l'approche spirituelle de nature à les désarmer. De plus, elles n'ont sans doute pas vraiment confiance en un autre juif.

J'ai reçu hier une charmante lettre de Griselle. Elle me dit qu'il s'en faut de peu pour que je devienne fier de ma petite
60 sœur. Elle a le rôle principal dans une nouvelle pièce qu'on joue à Vienne[5], et les critiques sont excellentes ; les années décourageantes qu'elle a passées avec de petites compagnies

---

1. *Impécunieux* : pauvre.
2. *Picasso* (1881-1973) est un peintre espagnol. Ses œuvres furent classées par les nazis parmi les productions de l'« art dégénéré ». Voir cahier photos, p. 4-5.
3. Une *madone* est un tableau représentant la Sainte Vierge.
4. *Matrones* : femmes d'un certain âge, mères de famille d'âge mûr.
5. *Vienne* : capitale de l'Autriche, encore indépendante en 1932.

commencent à porter leurs fruits. Pauvre enfant, ça n'a pas été facile pour elle mais elle ne s'est jamais plainte. Elle a du

65 cran, en plus de la beauté et, je l'espère, du talent. Elle me demande de tes nouvelles, Martin, avec beaucoup d'amitié. Plus la moindre amertume de ce côté-là – ce sentiment passe vite à son âge. Il suffit de quelques petites années pour que la blessure ne soit plus qu'un souvenir ; bien sûr, aucun de vous

70 deux n'était à blâmer[1]. Ces choses-là sont comme des tempêtes : on est d'abord transi, foudroyé, impuissant, puis le soleil revient ; on n'a pas complètement oublié l'expérience, mais on est remis du choc. Il ne reste à Griselle que le souvenir de la douceur et non plus du chagrin. Toi ou moi ne nous

75 serions pas comportés autrement. Je n'ai pas écrit à ma petite sœur que tu étais rentré en Europe mais je le ferai peut-être si tu penses que c'est judicieux ; elle ne se lie pas facilement, et je sais qu'elle serait contente de sentir qu'elle a des amis non loin.

80 Quatorze ans déjà que la guerre est finie ! J'espère que tu as entouré la date en rouge sur le calendrier. C'est fou le chemin que nous avons parcouru, en tant que peuples, depuis le début de toute cette violence !

Mon cher Martin, laisse-moi de nouveau t'étreindre par la
85 pensée et transmets mes souvenirs les plus affectueux à Elsa et aux garçons.

Ton fidèle
Max

---

1. *Blâmer* : accuser, critiquer.

2

SCHLOSS RANTZENBURG, MUNICH, ALLEMAGNE

Le 10 décembre 1932

Mr. Max Eisenstein
Galerie Schulse-Eisenstein
San Francisco,
Californie, USA

Max, mon cher vieux compagnon,

Merci de la promptitude[1] avec laquelle tu m'as envoyé les comptes et le chèque. Mais ne te crois pas obligé de me commenter nos affaires avec un tel luxe de détails. Tu sais que je suis d'accord avec tes méthodes ; d'autant qu'ici, à Munich, je suis débordé par mes nouvelles activités. Nous sommes installés, mais quelle agitation ! Comme je te l'ai dit, il y avait longtemps que cette maison me trottait dans la tête. Et je l'ai eue pour un prix dérisoire. Trente pièces, et un parc de près de cinq hectares et demi – tu n'en croirais pas tes yeux. Mais il est vrai que tu ignores à quel niveau de misère est réduit mon pauvre pays. Les logements de service[2], les écuries et les communs[3] sont très vastes et, crois-le ou non, pour les dix

---

1. *Promptitude* : rapidité.
2. *Logements de service* : logements réservés aux domestiques.
3. *Communs* : bâtiments où travaillent les domestiques, comme les écuries et les cuisines.

domestiques que nous avons ici, nous payons le même prix
15 que pour les deux seuls que nous avions à San Francisco.

Aux tapisseries et autres pièces que nous avions expédiées
par bateau s'ajoutent nombre de beaux meubles que j'ai pu
me procurer sur place. Le tout est d'un effet somptueux. Nous
sommes donc très admirés, pour ne pas dire enviés, ou
20 presque. J'ai acheté quatre services de table de la porcelaine
la plus fine, une profusion de verres en cristal et une argente-
rie devant laquelle Elsa est en extase.

À propos d'Elsa… non, c'est trop drôle ! Voici qui va sûre-
ment t'amuser… je lui ai offert un lit énorme, gigantesque, un
25 lit comme on n'en avait encore jamais vu, deux fois grand
comme un lit double, avec des montants de bois sculpté verti-
gineux. En l'occurrence, j'ai dû faire fabriquer sur mesure des
draps du plus beau lin. Elsa riait comme une gamine en le
racontant à sa grand-mère ; mais celle-ci a secoué la tête et
30 grommelé : « *Nein*[1], Martin, *nein*. Vous avez fait ça, mais
maintenant prenez garde, parce qu'elle va encore grossir pour
remplir son lit.

– *Ja*[2], dit Elsa. Encore quatre grossesses et je tiendrai tout
juste dedans. » Tu sais quoi, Max ? Eh bien, c'est vrai.

35 Pour les enfants, il y a trois poneys (petit Karl et Wolfgang
ne sont pas en âge de monter) et un précepteur[3]. Leur allemand est exécrable, tristement mâtiné[4] d'anglais.

Pour la famille d'Elsa, la vie n'est plus aussi facile
qu'avant. Ses frères ont tous une profession libérale[5], mais,

---

1. *Nein* : « non », en allemand.
2. *Ja* : « oui », en allemand.
3. *Précepteur* : professeur particulier.
4. *Mâtiné* : mélangé.
5. *Profession libérale* : profession exercée de manière indépendante, et non en tant que salarié.

⁴⁰ quoique très respectés, ils doivent vivre ensemble, forcés de partager une maison. À leurs yeux, nous sommes des millionnaires américains. Il s'en faut de beaucoup mais, néanmoins, l'importance de nos revenus transatlantiques nous place dans la catégorie des nantis[1]. Les comestibles de qualité sont extrê-
⁴⁵ mement chers, et les troubles politiques sont fréquents, même maintenant, sous la présidence de Hindenburg[2], un grand libéral[3] que j'admire beaucoup.

D'anciennes relations me pressent déjà de participer à la gestion municipale[4]. J'y songe. Un statut officiel pourrait être
⁵⁰ tout à notre avantage, localement.

Quant à toi, mon bon Max, ce n'est pas parce que nous t'avons abandonné que tu dois devenir un misanthrope[5]. Trouve-toi immédiatement une gentille petite femme bien gironde[6] qui sera aux petits soins pour toi et te nourrira
⁵⁵ comme un roi, le tout dans la bonne humeur. Crois-moi, ma prescription[7] est bonne, même si elle me fait sourire.

Tu me parles de Griselle. Cet amour de fille a bien gagné son succès. Je m'en réjouis avec toi, encore que, même aujourd'hui, le fait qu'elle, une jeune fille seule, est obligée de se
⁶⁰ battre pour réussir me révolte. N'importe quel homme peut comprendre qu'elle était faite pour le luxe et la dévotion, pour une vie facile et charmante où le bien-être épanouirait sa sen-

---

1. *Nantis* : riches.
2. *Paul von Hindenburg* (1847-1934) est un homme politique allemand, élu président du Reich en 1925.
3. *Libéral* : partisan des libertés individuelles.
4. *Participer à la gestion municipale* : se présenter aux élections, pour travailler avec le maire de la ville.
5. *Misanthrope* : homme qui vit à l'écart des autres hommes.
6. *Gironde* : belle, bien faite.
7. *Ma prescription* : mon conseil.

sibilité. Ses yeux noirs reflètent une âme grave, mais aussi quelque chose de dur comme l'acier et de très audacieux.

65 C'est une femme qui ne fait rien, ni ne donne rien à la légère. Hélas, cher Max, comme toujours, je me trahis. Tu as gardé le silence durant notre aventure orageuse, mais tu sais combien ma décision m'a coûté. Tu ne m'as fait aucun reproche, à moi, ton ami, quand ta petite sœur souffrait, et j'ai toujours

70 senti que tu savais que je souffrais également, et pas qu'un peu. Mais que pouvais-je faire ? Il y avait Elsa, et mes fils encore petits. Toute autre décision eût été inopportune. Pourtant, je garde pour Griselle une tendresse qui survivra à son probable mariage – ou à sa liaison – avec un homme autre-

75 ment plus jeune que moi. Tu sais, mon ami, l'ancienne plaie s'est refermée, mais parfois la cicatrice me lancine[1] encore.

Bien sûr que tu peux lui donner notre adresse. Nous sommes si près de Vienne qu'elle aura ainsi l'impression de n'avoir qu'à tendre la main pour avoir un foyer. Tu te doutes

80 qu'Elsa, qui ignore les sentiments que Griselle et moi avons éprouvés l'un pour l'autre, recevrait ta sœur avec la même affection qu'elle t'a reçu. Oui, il *faut* que tu lui dises que nous sommes ici, et que tu la pousses à prendre contact avec nous. Félicite-la chaleureusement de notre part pour son beau

85 succès.

Elsa me demande de te faire ses amitiés et Heinrich brûle de dire *Hello* à son oncle Max. Nous ne t'oublions pas, petit Max.

De tout cœur à toi
Martin

---

1. *Me lancine* : ici, me fait un peu mal.

3

GALERIE SCHULSE-EISENSTEIN,
SAN FRANCISCO, CALIFORNIE, USA

Le 21 janvier 1933

Herrn Martin Schulse
Schloss Rantzenburg
Munich, ALLEMAGNE

Mon cher Martin,

J'ai été heureux de pouvoir communiquer par écrit ton adresse à Griselle. Elle ne tardera pas à la recevoir – si ce n'est déjà fait. Que de réjouissances en perspective quand Griselle
5 vous rendra visite ! Je serai avec vous par la pensée, de tout cœur, comme si j'y étais en personne.

Tu évoques la pauvreté qu'il y a là-bas. Ici, à cet égard, l'hiver est assez rude, mais, naturellement, ce n'est rien comparé aux privations que tu as constatées en Allemagne.

10 Toi et moi avons de la chance d'avoir une galerie dont la clientèle est si fidèle ; elle dépense certes moins qu'avant, mais même si nous vendons deux fois moins nous vivrons encore bien – sans prodigalité[1] excessive, mais très confortablement. Les huiles[2] que tu m'as envoyées sont de grande
15 qualité ; c'est incroyable que tu les aies eues à ce prix dérisoire. Elles vont partir tout de suite, et nous allons faire un

---

1. *Prodigalité* : dépense.
2. *Huiles* : tableaux réalisés à la peinture à l'huile.

profit scandaleux. La vilaine madone est vendue. Eh oui, à la vieille Mrs. Fleshman ! J'hésitais à fixer un prix, mais elle m'a fait le coup de l'amateur éclairé[1], alors, le souffle coupé de ma
20 propre audace, j'ai lancé un chiffre astronomique[2]. Me soupçonnant d'avoir un autre client, elle a pris la balle au bond et fait aussitôt son chèque avec un sourire rusé. Toi seul peux savoir à quel point j'exultais quand elle est partie avec cette horreur sous le bras.

25 Hélas, Martin, j'ai souvent honte de moi-même pour le plaisir que je prends à ces petits triomphes futiles. Toi en Allemagne, avec ta maison de campagne et ta richesse que tu étales aux yeux de la famille d'Elsa, et moi en Amérique, jubilant parce que j'ai roulé une vieille écervelée en la persuadant
30 d'acheter une monstruosité... quel apogée[3] pour deux hommes de quarante ans ! Est-ce pour cela que l'on vit ? Pour gagner de l'argent par des procédés douteux et en faire étalage aux yeux de tous ? Je ne cesse de me faire des reproches, mais je continue comme avant. Malheureusement, nous
35 sommes tous embarqués sur la même galère. Nous sommes futiles et malhonnêtes parce que nous devons triompher de personnes futiles et malhonnêtes. Si ce n'est pas moi qui vends notre horreur à Mrs. Fleshman, c'est quelqu'un d'autre qui lui en vendra une pire. C'est une fatalité qu'il faut bien
40 accepter.

Heureusement qu'il existe un havre[4] où l'on peut toujours savourer une relation authentique : le coin du feu chez un ami auprès duquel on peut se défaire de ses petites vanités et

---

1. *Elle m'a fait le coup de l'amateur éclairé* : elle a essayé de me faire croire qu'elle s'y connaissait.
2. *Astronomique* : énorme.
3. *Quel apogée* : quel succès ! Max est ici ironique.
4. *Havre* : lieu protégé et calme.

trouver chaleur et compréhension ; un lieu où les égoïsmes
45 sont caducs[1] et où le vin, les livres et la conversation donnent
un autre sens à la vie. Là, on a construit quelque chose que
la fausseté ne peut atteindre. On s'y sent chez soi.

Qui est cet Adolf Hitler qui semble en voie d'accéder au
pouvoir en Allemagne ? Ce que je lis sur son compte
50 m'inquiète beaucoup.

Embrasse les gosses et notre abondante Elsa de la part de
ton affectionné

Max

---

1. Caducs : dépassés.

4

SCHLOSS RANTZENBURG, MUNICH, ALLEMAGNE

Le 25 mars 1933

Mr. Max Eisenstein
Galerie Schulse-Eisenstein
San Francisco,
Californie, USA

Cher vieux Max,

Tu as certainement entendu parler de ce qui se passe ici, et je suppose que cela t'intéresse de savoir comment nous vivons les événements de l'intérieur. Franchement, Max, je crois qu'à nombre d'égards Hitler est bon pour l'Allemagne, mais je n'en suis pas sûr. Maintenant, c'est lui qui, de fait, est le chef du gouvernement. Je doute que Hindenburg lui-même puisse le déloger du fait qu'on l'a obligé à le placer au pouvoir. L'homme électrise littéralement les foules ; il possède une force que seul peut avoir un grand orateur[1] doublé d'un fanatique. Mais je m'interroge : est-il complètement sain d'esprit ? Ses escouades en chemises brunes[2] sont issues de la populace. Elles pillent, et elles ont commencé à persécuter les juifs. Mais il ne s'agit peut-être là que d'incidents mineurs :

---

1. *Un grand orateur* : un homme très doué pour les discours.
2. *Escouades en chemises brunes* : troupes paramilitaires de la SA (*Sturmabteilung*, « section d'assaut ») qui portaient l'uniforme du parti nazi.

la petite écume trouble qui se forme en surface quand bout le
chaudron d'un grand mouvement. Car je te le dis, mon ami,
c'est à l'émergence d'une force vive que nous assistons dans
ce pays. Une force vive. Les gens se sentent stimulés, on s'en
rend compte en marchant dans les rues, en entrant dans les
magasins. Ils se sont débarrassés de leur désespoir comme on
enlève un vieux manteau. Ils n'ont plus honte, ils croient de
nouveau à l'avenir. Peut-être va-t-on trouver un moyen pour
mettre fin à la misère. Quelque chose – j'ignore quoi – va se
produire. On a trouvé un Guide ! Pourtant, prudent, je me dis
tout bas : où cela va-t-il nous mener ? Vaincre le désespoir
nous engage souvent dans des directions insensées.

Naturellement, je n'exprime pas mes doutes en public.
Puisque je suis désormais un personnage officiel au service du
nouveau régime, je clame au contraire ma jubilation sur tous
les toits. Ceux d'entre nous, les fonctionnaires de l'adminis-
tration locale, qui tiennent à leur peau sont prompts à
rejoindre le national-socialisme – c'est le nom du parti de
Herr Hitler. Mais, en même temps, cette attitude est bien plus
qu'un simple expédient[1] : c'est la conscience que nous, le
peuple allemand, sommes en voie d'accomplir notre destinée ; que l'avenir s'élance vers nous telle une vague prête à
déferler. Nous aussi nous devons bouger, mais dans le sens
de la vague, et non à contre-courant. De graves injustices se
commettent encore aujourd'hui. Les troupes d'assaut célè-
brent leur victoire, et chaque visage ensanglanté qu'on croise
vous fait secrètement saigner le cœur. Mais tout cela est transitoire[2] ; si la finalité est juste, ces incidents passagers seront

---

1. *Expédient* : moyen de se tirer d'embarras.
2. *Transitoire* : n'est pas destiné à durer.

vite oubliés. L'Histoire s'écrira sur une page blanche et propre.

45 La seule question que je me pose désormais – vois-tu, tu es le seul à qui je puisse me confier – est celle-ci : la finalité est-elle juste ? Le but que nous poursuivons est-il meilleur qu'avant ? Parce que, tu sais, Max, depuis que je suis dans ce pays, je les ai vus, ces gens de ma race, et j'ai appris les souf-
50 frances qu'ils ont endurées toutes ces années – le pain de plus en plus rare, les corps de plus en plus maigres et les esprits malades. Ils étaient pris jusqu'au cou dans les sables mou-vants du désespoir. Ils allaient mourir, mais un homme leur a tendu la main et les a sortis du trou. Tout ce qu'ils savent
55 maintenant, c'est qu'ils survivront. Ils sont possédés par l'hystérie de la délivrance, et cet homme, ils le vénèrent[1]. Mais quel que fût le sauveur, ils auraient agi ainsi. Plaise à Dieu qu'il soit un chef digne de ce nom et non un ange de la mort. À toi seul, Max, je peux avouer que j'ignore qui il est
60 vraiment. Oui, je l'ignore. Pourtant, je ne perds pas confiance.

Mais assez de politique. Notre nouvelle maison nous enchante et nous recevons beaucoup. Ce soir, c'est le maire que nous avons invité – un dîner de vingt-huit couverts. Tu
65 vois, on « étale » un peu la marchandise, mais il faut nous le pardonner. Elsa a une nouvelle robe en velours bleu. Elle est terrifiée à l'idée de ne pouvoir entrer dedans. Elle est de nou-veau enceinte. Rien de tel pour satisfaire durablement sa femme, Max : faire en sorte qu'elle soit tellement occupée
70 avec les bébés qu'elle n'ait pas le temps de geindre.

Notre Heinrich a fait une conquête mondaine[2]. Il montait son poney quand il s'est fait désarçonner. Et qui l'a ramassé ?

---

1. *Le vénèrent* : l'adorent comme un dieu.
2. *Mondaine* : dans la bonne société.

Le baron von Freische en personne. Ils ont eu une longue conversation sur l'Amérique, puis, un jour, le baron est passé chez nous et nous lui avons offert le café. Il a invité Heinrich à déjeuner chez lui la semaine prochaine. Quel garçon ! Il fait la joie de tout le monde – dommage que son allemand ne soit pas meilleur.

Ainsi, mon cher ami, allons-nous peut-être participer activement à de grands événements ; ou peut-être nous contenter de poursuivre notre petit train-train familial. Mais nous ne renoncerons jamais à l'authenticité de cette amitié dont tu parles de façon si touchante. Notre cœur va vers toi, au-delà des vastes mers, et quand nous remplissons nos verres nous ne manquons jamais de boire à la santé de « l'oncle Max ».

Souvenir affectueux
Martin

GALERIE SCHULSE-EISENSTEIN,
SAN FRANCISCO, CALIFORNIE, USA

Le 18 mai 1933

Herrn Martin Schulse
Schloss Rantzenburg
Munich, ALLEMAGNE

Cher Martin,

Je suis bouleversé par l'afflux de reportages sur ta patrie qui nous parviennent. Comme ils sont assez contradictoires, c'est donc tout naturellement vers toi que je me tourne pour
5   y voir plus clair. Je suis sûr que les choses ne vont pas aussi mal qu'on veut bien le dire. Notre presse s'accorde à parler d'un « terrible pogrom[1] ». Qu'en est-il ?

Je sais que ton esprit libéral et ton cœur chaleureux ne pourraient tolérer la brutalité, et que tu me diras la vérité. Le fils
10   d'Aaron Silberman vient tout juste de rentrer de Berlin et il paraît qu'il l'a échappé belle. Il raconte sur ce qu'il a vu – les flagellations[2], le litre d'huile de ricin forcé entre les lèvres et les heures d'agonie consécutives par éclatement de l'intestin[3] –

---

1. *Pogrom* : massacre de la population juive.
2. *Flagellations* : coups de fouet.
3. L'huile de ricin était effectivement utilisée par les troupes paramilitaires pour torturer les opposants au régime nazi : ces derniers étaient contraints par la force d'en absorber de grandes quantités, qui provoquaient des diarrhées et une déshydratation sévères, pouvant se révéler mortelles.

des histoires affreuses. Ces exactions pourraient être vraies, et
15 elles pourraient en effet n'être que le résidu malpropre d'une
révolution par ailleurs humaine – l'« écume trouble », comme tu
dis. Malheureusement pour nous, les juifs, la répétition ne les
rend que par trop familières, et je trouve presque incroyable
qu'on puisse, aujourd'hui, au sein d'une nation civilisée, faire
20 revivre à nos frères le martyre ancestral[1]. Écris-moi, mon ami,
pour me rassurer sur ce point.

La pièce dans laquelle joue Griselle fait un triomphe et se
donnera jusqu'à la fin du mois de juin. Elle m'écrit qu'on lui
a proposé un autre rôle à Vienne, et un autre encore, superbe,
25 à Berlin pour cet automne. C'est surtout de ce dernier qu'elle
me parle, mais je lui ai répondu d'attendre pour s'engager
que les sentiments antijuifs se calment. Bien entendu, son
nom de scène n'a pas une consonance juive (de toute façon,
il était exclu qu'elle monte sur les planches avec un nom
30 comme Eisenstein) ; mais, pseudonyme ou non, tout, chez
elle, trahit ses origines : ses traits, ses gestes, la passion qui
vibre dans sa voix. Si les sentiments antisémites évoqués plus
haut sont une réalité, elle ne doit à aucun prix s'aventurer en
Allemagne en ce moment.
35 Pardonne-moi, mon ami, pour la brièveté de ma lettre et
l'absence de liberté d'esprit dont elle témoigne, mais je
n'aurai pas de repos tant que tu ne m'auras pas rassuré. Je
sais que tu m'écriras en toute honnêteté. Je t'en prie, fais-le
vite.
40 C'est haut et fort que je proclame ma foi en toi et mon
amitié pour toi et les tiens.

Ton fidèle
Max

---

1. La Bible rapporte que le peuple juif fut opprimé par Pharaon puis
réduit à quitter l'Égypte (Exode).

6

DEUTSCH-VOELKISCHE BANK UND
HANDELSGESELLSCHAFT,
MUNICH, ALLEMAGNE

Le 9 juillet 1933

Mr. Max Eisenstein
Galerie Schulse-Eisenstein
San Francisco,
Californie, USA

Cher Max,

Comme tu pourras le constater, je t'écris sur le papier à
lettres de ma banque. C'est nécessaire, car j'ai une requête à
t'adresser et souhaite éviter la nouvelle censure, qui est des
5 plus strictes. Nous devons présentement cesser de nous
écrire. Il devient impossible pour moi de correspondre avec
un juif ; et ce le serait même si je n'avais pas une position
officielle à défendre. Si tu as quelque chose d'essentiel à me
dire, tu dois le faire par le biais de la banque, au dos de la
10 traite[1] que tu m'envoies, et ne plus jamais m'écrire chez moi.
En ce qui concerne les mesures sévères qui t'affligent tellement, je dois dire que, au début, elles ne me plaisaient pas non
plus ; mais j'en suis arrivé à admettre leur douloureuse nécessité.
La race juive est une plaie ouverte pour toute nation qui lui a
15 donné refuge. Je n'ai jamais haï les juifs en tant qu'individus

---

1. *Traite* : billet, lettre de change.

– toi, par exemple, je t'ai toujours considéré comme mon ami –,
mais sache que je parle en toute honnêteté quand j'ajoute que
je t'ai sincèrement aimé non *à cause* de ta race, mais *malgré* elle.

Le juif est le bouc émissaire[1] universel. Il doit bien y avoir
20 une raison à cela, et ce n'est pas la superstition ancestrale consis-
tant à les désigner comme les « assassins du Christ » qui éveille
une telle méfiance à leur égard. Quant aux ennuis juifs actuels,
ils ne sont qu'accessoires. Quelque chose de plus important se
prépare.

25 Si seulement je pouvais te montrer – non, t'obliger à constater – la renaissance de l'Allemagne sous l'égide[2] de son vénéré
Chef… Un si grand peuple ne pouvait pas rester éternellement
sous le joug du reste du monde. Après la défaite, nous avons
plié l'échine pendant quatorze ans. Pendant quatorze ans, nous
30 avons mangé le pain amer de la honte et bu le brouet clair[3] de
la pauvreté. Mais maintenant, nous sommes des hommes libres.
Nous nous redressons, conscients de notre pouvoir ; nous rele-
vons la tête face aux autres nations. Nous purgeons notre sang
de ses éléments impurs. C'est en chantant que nous parcourons
35 nos vallées, nos muscles durs vibrent, impatients de s'atteler à
un nouveau labeur ; et nos montagnes résonnent des voix
de Wotan et de Thor[4], les anciens dieux de la race germanique.

---

1. *Bouc émissaire* : victime sur laquelle on fait retomber les fautes
des autres.

2. *Sous l'égide* : sous le contrôle. « Sous le joug », plus loin, semble avoir le
même sens, sauf que l'égide est une protection et le joug une servitude.

3. *Brouet clair* : bouillon. Par cette métaphore, Martin veut dire que,
pour les Allemands, le temps de la honte et de la pauvreté est fini.

4. Le régime nazi nourrissait sa propagande de références à la mythologie nordique et germanique. Aussi appelé Odin, *Wotan* règne sur
Ásgard, le royaume des dieux scandinaves. Il a le pouvoir, entre autres,
d'apporter la victoire à ses protégés en leur inspirant ruse et courage.
Thor, son fils, est le dieu du tonnerre et, par extension, de la force guer-
rière. On le reconnaît à son marteau, ses gants de fer et sa ceinture
magiques, qui lui permettent de venir à bout de ses ennemis.

Mais non… Tout en t'écrivant, et en me laissant aller à l'enthousiasme suscité par ces visions si neuves, je me dis que tu ne comprendrais pas à quel point tout cela est nécessaire pour l'Allemagne. Tu ne t'attacheras, je le sais, qu'aux ennuis de ton propre peuple. Tu refuseras de concevoir que quelques-uns doivent souffrir pour que des millions soient sauvés. Tu seras avant tout un juif qui pleurniche sur son peuple. Cela, je l'admets. C'est conforme au caractère sémite. Vous vous lamentez mais vous n'êtes pas assez courageux pour vous battre en retour. C'est pourquoi il y a des pogroms.

Hélas, Max, tout cela va te blesser, je le sais, mais tu dois accepter la vérité. Parfois, un mouvement est plus important que les hommes qui l'initient. Pour ma part, j'y adhère corps et âme. Heinrich est officier dans un corps de jeunesse[1], sous les ordres du baron von Freische. Le nom de ce dernier rehausse encore notre maison car il rend souvent visite à Heinrich et à Elsa, qu'il admire beaucoup. Quant à moi, je suis débordé de travail. Elsa ne s'intéresse guère à la politique ; elle se contente d'adorer notre noble Chef. Elle se fatigue vite, ce dernier mois. Cela peut signifier que le bébé arrivera plus tôt que prévu. Ce sera mieux pour elle quand le dernier de nos enfants sera né.

Je regrette qu'on doive mettre ainsi fin à notre correspondance, Max. Il n'est pas exclu que nous nous retrouvions un jour, sur un terrain où nous pourrons développer une meilleure compréhension mutuelle.

Cordialement
Martin Schulse

---

1. *Corps de jeunesse* : organisation militaire, sous le contrôle des nazis, destinée à encadrer et former la jeunesse à l'idéologie du Troisième Reich. Ces corps sont regroupés sous le nom de Jeunesses hitlériennes.

SAN FRANCISCO, CALIFORNIE, USA

Le 1er août 1933

Martin Schulse
(aux bons soins de J. Lederer)
Schloss Rantzenburg
Munich, ALLEMAGNE

Mon cher Martin,

Je confie cette missive à Jimmy Lederer, qui doit brièvement séjourner à Munich lors de ses vacances européennes. Je ne trouve plus le repos après la lettre que tu m'as envoyée.
5   Elle te ressemble si peu que je ne peux attribuer son contenu qu'à ta peur de la censure. L'homme que j'ai aimé comme un frère, dont le cœur a toujours débordé d'affection et d'amitié, ne peut pas s'associer, même passivement, au massacre de gens innocents. Je garde confiance en toi, et je prie pour que
10 mon hypothèse soit la bonne ; il te suffit de me le confirmer par lettre par un simple « oui », à l'exclusion de tout autre commentaire qui serait dangereux pour toi. Cela me convaincra que tu joues le jeu de l'opportunisme[1] mais que tes sentiments profonds n'ont pas changé ; que je ne me suis pas
15 leurré en te considérant comme un esprit libéral et droit, pour qui le mal est le mal, en quelque nom qu'on le commette.

---

1. *Opportunisme* : attitude qui consiste à tirer parti des circonstances, en ne se souciant que de ses intérêts propres.

Cette censure, ces persécutions de tous les esprits libres, ces bibliothèques incendiées et cette corruption des universités susciteraient ton antagonisme[1] même si on ne levait pas le petit doigt contre ceux de ma race. Tu es un libéral, Martin. Tu vois les choses à long terme. Je sais que tu ne peux pas te laisser entraîner dans cette folie par un mouvement populaire qui, aussi fort soit-il, est foncièrement meurtrier.

Je peux comprendre pourquoi les Allemands acclament Hitler. Ils réagissent contre les injustices qu'ils ont subies depuis la fin de cette guerre désastreuse. Mais toi, Martin, tu es pratiquement devenu un Américain durant cette période. Je suis convaincu que ce n'est pas mon ami qui m'a écrit cette lettre, et que tu vas me le prouver.

J'attends ce seul mot – ce « oui » qui rendra la paix à mon cœur. Écris-le vite.

Mes amitiés à vous tous
Max

---

1. *Ton antagonisme* : ta réprobation, ton désaccord.